La collection « Princesses » de Disney

Princesse Belle
Un véritable amour

Phidal

© Disney Enterprises, Inc.

2003 Publié par les Éditions Phidal inc.
5740 Ferrier, Montréal, Québec, Canada H4P 1M7
www.phidal.com

Traduction : Sandrine Julien

Imprimé en Italie

ISBN : 2-7643-0599-0

*Nous reconnaissons l'aide financière du gouvernement du Canada
par l'entremise du PADIÉ pour nos activités d'édition.*

Chapitre 1

Je m'appelle princesse Belle. Je
vis avec le prince dans un château
dont les gens avaient l'habitude de dire
qu'il était hanté. Ils avaient en partie
raison. Jadis y vivait une horrible bête.

Avant de devenir une princesse,
je vivais dans un village paisible
avec mon père Maurice. C'était un
inventeur.

Nos voisins ne nous comprenaient pas mon père et moi. Ils se demandaient pourquoi il passait toutes ses journées à créer d'étranges inventions et pourquoi j'aimais tant lire des livres.

Gaston était un de nos voisins. Il était chasseur et pensait être un excellent parti. Tout le monde pensait qu'il était très beau. Je pensais qu'il était très insolent. Il m'appelait  souvent « la fille la plus chanceuse du village » parce qu'il avait décidé de me marier – sans me demander ce que j'en pensais.

Je ne pouvais pas le supporter !

Chapitre 2

Un jour papa quitta la maison pour présenter sa dernière invention. Un visiteur inattendu me rendit visite. C'était Gaston! «Dis-moi que tu vas me marier!» dit-il en posant ses pieds malodorants sur notre table. «Je ne suis pas... digne de toi.» lui dis-je enfin et le mis à la porte. Je n'arrivais pas à croire que Gaston ait pu penser que j'allais le marier à cause de son exceptionnelle beauté! L'homme que je marierais serait beau en dedans.

Plus tard, cette nuit là, Philippe, notre cheval, retourna à la maison sans papa.

Il avait dû arriver quelque chose! Je montai sur le dos de Philippe et il galopa pour me conduire jusqu'à papa.

Au bout de plusieurs heures, nous sommes arrivés devant un château somptueux. Il était très beau, bien qu'il semblât désert. La porte était ouverte.

Je marchai à pas de loup dans le
château à la recherche de papa. J'avais
peur à l'idée de ce qui pouvait vivre
dans cet endroit glacial. Mais j'étais
plus inquiète pour la sécurité de papa,
je continuai donc de le chercher.

Je trouvai enfin papa enfermé dans
le cachot !

« Tes mains sont glacées ! » lui dis-je.
Il était malade. « Qui t'a fait ça ? »

Soudain, une voix terrible gronda dans l'obscurité. «Que faites-vous?»

C'était une bête! Elle avait des dents énormes et pointues – et des cornes sur sa tête.

«Je suis venue chercher mon père.» dis-je en prenant mon courage à deux mains. «Il est malade.»

«Il n'y a rien que vous puissiez faire. C'est mon prisonnier.» grogna la bête. Elle se tourna prête à quitter.

«Attendez!» criai-je. «Prenez-moi à sa place.» La bête me regarda et hurla: «Entendu!»

Papa dit à la bête de me laisser partir, mais la bête l'ignora et le traîna hors du château.

Je n'eus même pas le temps de lui dire au revoir.

Chapitre 3

Lorsque la bête revint, elle m'accompagna jusqu'à ma chambre. « Vous pouvez aller n'importe où dans le château, mais l'aile ouest est interdite ! » gronda-t-elle.

J'avais peur mais je ne pensais pas qu'elle pût me faire mal. Je pensais à papa. J'espérais qu'il pourrait rentrer à la maison sain et sauf.

Soudain, j'entendis des voix. C'était une horloge appelée Pendule et une théière appelée Madame Théière. Ils me souhaitaient la bienvenue au château !

Est-ce que je rêvais ! ?

Presque tous les objets du château pouvaient parler! Un chandelier appelé Lumière servit le souper et je mangeai en compagnie de fourchettes dansantes et de cuillères chantantes.

C'était étrange d'avoir des conversations avec des théières et des tables, mais tout le monde me fit si bon accueil que je commençai à me sentir plus à l'aise dans cet endroit curieux. Ils prirent grand soin de moi et furent très gentils. Mais ils ne pouvaient pas me laisser partir.

Cependant, je n'avais plus peur. Je voulais savoir ce qui s'était produit ici. Quelle sorte de magie faisait parler les tasses? Et qui était la bête qui vivait ici?

La réponse était dans l'aile ouest. J'en étais sûre!

Chapitre 4

Après le souper, je me promenai dans l'aile ouest, où je trouvai une chambre pleine de meubles cassés. Le tableau d'un beau jeune homme était accroché sur le mur du fond. Son visage ne m'était pas inconnu. Ses yeux me rappelaient quelqu'un...

Puis, j'aperçus une lueur étrange près de la fenêtre. C'était une rose rouge qui flottait sous une cloche de verre! Est-ce que ceci avait quelque chose à voir avec...

Une voix me fit sursauter.

«Pourquoi êtes-vous venue ici!?»

La bête me surveillait. Elle avait éloigné la rose et grondait en montrant ses dents. Elle tenait la cloche entre ses pattes énormes.

Puis, elle donna des coups de griffes sur les meubles, et déchira et brisa ce qui n'était pas encore détruit. Je ne savais pas pourquoi elle était terrifiée et en colère. Je savais seulement que je devais à tout prix quitter cet endroit!

Chapitre 5

Je me précipitai hors du château
et retrouvai Philippe qui attendait
à l'extérieur.

Alors que nous galopions à travers bois,
j'entendis un hurlement – puis un autre.
Une meute de loups nous encercla !

Un d'eux assena un coup à Philippe. Je
tombai et me préparai à les combattre à
l'aide d'une branche cassée.

Soudain, la bête surgit de l'obscurité !
Elle se battit vaillamment contre les
loups et les fit s'enfuir.

Je pensai quitter mais ne pus m'y
résoudre. La bête était grièvement
blessée. Je ne pourrais jamais me
pardonner d'abandonner quelqu'un
dans cet état là – aussi horrible qu'il soit.

J'ai hissé péniblement la bête sur
Philippe et nous sommes rentrés au
château.

En sécurité dans le château, je nettoyai les blessures de la bête.

«Cela fait mal!» cria-t-elle comme un enfant. Puis, elle gronda comme un monstre. «Tout ceci est arrivé parce que vous vous êtes enfuie!»

«Vous devriez garder votre calme.» lui dis-je en la grondant et en appliquant davantage de médicament sur ses coupures et ses morsures.

Elle poussa un grognement mais ne dit rien. La bête n'était pas si monstrueuse lorsqu'elle était calme. En fait, il y avait quelque chose de doux derrière ces yeux sauvages. Elle avait mauvais caractère mais avait bon cœur.

Je la regardai. «À propos, merci de m'avoir sauvé la vie.» dis-je.

Elle répondit d'une voix timide «Il n'y a pas de quoi.»

Chapitre 6

À partir de ce moment là, la bête se transforma… en homme. En apparence, c'était encore un monstre, mais en dedans – et c'est ce qui comptait – c'était un gentilhomme.

Nous sommes devenus de très bons amis. La bête m'ouvrit sa bibliothèque car elle savait combien j'aimais lire. Elle me montra ses jardins pleins de superbes fleurs et d'arbres magnifiques. Mais, jamais la bête ne m'expliqua qui elle était ni ce qu'était la rose.

Je songeai à la bête. Elle refusait de parler de son passé – et Lumière, Madame Théière et Pendule évitaient aussi toutes mes questions.

Un soir, la bête m'invita à un souper spécial. Je me changeai et mis la superbe robe du soir jaune qu'elle m'avait donné en cadeau. Lorsque j'entrai dans la salle à manger, la bête m'attendait.

Tout était parfait.

Pendant le souper, j'entendis de la musique. Je menai alors la bête jusqu'à la salle de bal pour danser. Elle n'en avait pas vraiment envie, mais lorsque j'insistai, elle accepta.

Elle dansait très bien – mais était juste un peu timide, je suppose. Je me sentais en sécurité dans les bras de la bête – les mêmes bras qui avaient brisé les meubles quelques semaines auparavant. Elle me tenait doucement dans ses bras pendant que nous dansions cette nuit là et que nous nous regardions dans les yeux.

Madame Théière, Lumière et Pendule me firent un clin d'œil depuis l'embrasure de la porte.

Ils savaient que nous étions tombés amoureux.

Plus tard cette nuit là, je dis à la bête que papa me manquait. J'adorais le château, mais je ne pouvais pas m'empêcher de penser à mon père.

La bête me tendit un miroir magique, j'y vis mon père. Il était très malade ! Il fallait que je quitte sur-le-champ.

« Prenez ce miroir pour vous souvenir de moi. » dit la bête. Elle était très triste car elle n'était pas sûre de me revoir.

Je remarquai aussi que la rose enchantée s'était flétrie.

Je voulais lui demander ce qui était arrivé à la rose, mais le temps me manquait.

24

Chapitre 7

Je me précipitai à la maison et trouvai papa au lit.

« Comment t'es-tu échappée ? » pleura-t-il.

« Je ne me suis pas échappée, papa. » lui dis-je. « Elle m'a laissé partir. »

Soudain, quelqu'un frappa bruyamment à la porte.

C'était Gaston et quelques villageois.
Il dit que papa était fou. Il dit à la
foule qui se massait que papa était
fou et qu'il croyait aux monstres!

Les villageois étaient venus chercher
papa – à moins que je n'accepte de
marier Gaston!

« Mon père n'est pas fou! Je peux le
prouver! » dis-je en sortant le miroir.

Tout le monde regarda dans le miroir
et vit la bête.

Gaston s'empara du miroir. «La bête prendra vos enfants pendant la nuit!» cria-til. «Je vous le dis, il faut tuer la bête!»

«Elle n'est pas aussi monstrueuse que toi!» criai-je. La cruauté de Gaston le rendait à mes yeux plus laid que n'importe quel autre monstre.

Mais les villageois passèrent outre. Ils ne virent que le visage monstrueux de la bête et suivirent Gaston jusqu'au château.

Chapitre 8

À cheval sur Philippe, je galopai à toute vitesse jusqu'au château. Lorsque j'arrivai, Gaston et la bête étaient entrain de se battre sur le toit! Gaston accula la bête et la blessa!

Soudain, Gaston perdit l'équilibre et tomba. La bête faillit aussi tomber, mais je la sauvai en la tirant sur le balcon.

Au moins, je vous aurais vu une dernière fois» me chuchota la bête.

Je la serrai et pleurai. «S'il vous plaît! S'il vous plaît, ne me laissez pas! Je vous aime!»

Soudain, une lumière brillante recouvrit le corps de la bête et la souleva dans les airs! Lorsque la lumière diminua, la bête était transformée en... prince – l'homme que j'avais vu sur le tableau! Je découvris qu'une magicienne avait jeté un mauvais sort au jeune prince et l'avait changé en bête parce qu'il était égoïste. Elle lui avait aussi laissé une rose magique.

Lorsque le dernier pétale de la rose tomberait, la bête demeurerait un monstre à moins qu'elle n'apprenne à aimer – et trouve quelqu'un qui l'aime à son tour.

Maintenant, le mauvais sort était rompu. J'aimais la bête et j'aimais le prince – peu importait, car le véritable amour ne s'attache pas à la beauté. J'étais tombée amoureuse de ce qui se trouvait en dedans : une « bête » douce qui avait balayé tous les préjugés.